まちごとチャイナ
浙江省 008

寧波郊外と開発区
鎌倉仏教の「祖庭」へ
［モノクロノートブック版］

JN118518

平原地帯から丘陵地帯へ遷る寧波東郊外に残る阿育王寺と天童寺。両者ともに南宋五山をしめた中国を代表する古刹で、栄西や道元が修行した日本禅宗の祖庭として知られる。

　宋元(10〜14世紀)時代から「寧波」と「博多」を結ぶ航路を使った往来が活発となり、中国仏教や最先端の文化は寧波から日本に発信された(現在の日本文化を象徴する抹茶、禅などは宋元時代の寧波から伝わっている)。船は寧波旧城から甬江をくだって鎮海、そして東海に出て、舟山から

博多へ向かった。

　日本人にとってもっとも親しみ深い中国の街であった
寧波も20世紀末以来、三江口の旧城が手ぜまになったこと
から、郊外に新たな市街地がつくられている。中国屈指の港
湾環境をもつ北侖、鄞州新城、東部新城の開発が進み、寧波
と上海を結ぶ全長36kmの杭州湾跨海大橋の建設もあって、
寧波は長江デルタ新たな成長エンジンとして注目されてい
る。

「アジア城市（まち）案内」制作委員会
まちごとパブリッシング

Asia City Guide Production
Zhejiang 008

Around Ningbo

宁波郊区 ／ níng bō jiāo qū ／ ニィンボオジャオチュウ

まちごとチャイナ｜浙江省 008

寧波郊外と開発区

鎌倉仏教の「祖庭」へ

Contents

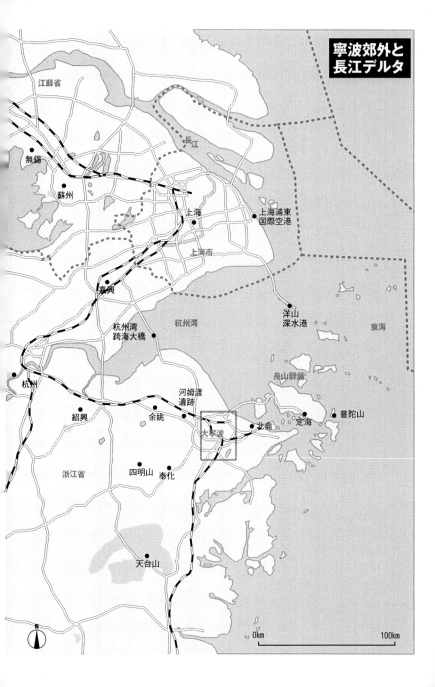

寧波郊外と
長江デルタ

江蘇省

無錫

蘇州

長江

上海

上海浦東
国際空港

上海市

嘉興

杭州湾

洋山
深水港

東海

杭州湾
跨海大橋

杭州

舟山群島

河姆渡
遺跡

普陀山

紹興

余姚

定海

大寧波

北侖

浙江省

四明山

奉化

天台山

N

0km   100km

★★☆
河姆渡遺跡／河姆渡遺址 ハアムウドウイイチイ
★☆☆
四明山／四明山 スウミンシャン
余姚／余姚 ユウヤオ
北侖／北仑 ベイルゥン
杭州湾跨海大橋／杭州湾跨海大桥 ハンチョウワンクゥアハイダアチャオ

Introduction
栄西道元学んだ禅宗祖庭

中世の日本と中国を結ぶ航路
最先端の中国仏教求め
日本の仏僧たちは大海原へ繰り出した

南宋禅宗の台頭

　杭州に都をおいた南宋(1127〜1279年)時代、径山寺、霊隠寺、浄慈寺(以上杭州)、天童寺、阿育王寺(以上寧波)といった禅寺を中心とする五山十刹の制度がもうけられた。江南で禅宗が台頭したのは、南宋にさかのぼる唐代の845年、会昌の廃仏を受けて、長安や華北の仏教寺院が衰退し、比較的、都から遠かった南中国で仏教が命脈をたもったこと。自力難行、実践仏教という性格をもつ禅宗の勢力が強まったこと。華北を異民族に占領された南宋朝廷が禅宗を保護することで仏教勢力を統治体制に組みこんだことなどがあげられる。5世紀ごろ、インド人達磨の伝えた禅宗は、南宗禅(広東)と北宗禅(湖北荊州)にわかれ、南宗禅から臨済宗や曹洞宗が出て、教義は師から弟子へと伝えられていった。

仏教聖地寧波

　宋元時代、杭州と寧波が中国仏教の先進地となっていて、こうした時代に中国を訪れたのが平安末期から鎌倉初期の日本の仏教僧たちだった(唐代の遣唐使は華北の五台山を目指したが、中国が南北に分断された南宋では天台山をはじめとする江南仏教寺院で修行した)。栄西や道元は天台山、阿育王寺、天童寺などで禅

宗を学び、日本に帰国してから臨済宗や曹洞宗を開いている。また寧波延慶寺の天台浄土宗は海を越えて法然や親鸞の阿弥陀信仰に影響をあたえ、禅宗ともども鎌倉新仏教が育まれることになった。この時代、蘭渓道隆などの中国僧が来日し、南宋五山の影響で成立した鎌倉五山では中国語が話されていたという。また鎌倉時代にさかのぼる奥州藤原氏(11〜12世紀)は東北の黄金を寧波に運び、その代わりに中国皇帝の命で編纂された『一切経』を手に入れた。

寧波から日本へ

　中世、中国から日本への仏教伝播は、食や茶、精神性といった禅文化をともない、栄西(1141〜1215年)のもち帰った浙江の茶樹から日本の茶道がはじまり、精神を集中する武道の精神が鎌倉武士のあいだに広まった(喫茶の習慣は奈良時代からあったが、一般でも飲まれるようになり、禅文化の影響のもと茶会が開かれた)。日常茶飯事(にちじょうさはんじ)、饅頭(まんじゅう)、普請(ふしん)、塔頭(たっちゅう)、竹箆(しっぺい)といった南宋禅寺で使われていた言葉が日本語に入り、豆腐、納豆、梅干しなど質素な食生活を旨とする禅寺の食事も日本で広まっていった。

重源と宋の職人

　栄西や道元と同時代に生きた仏教僧重源(1121〜1206年)は「入宋三度」と言われる。重源は三度目の渡宋で、四明山、天台山、阿育王寺などを訪ね、1167年、その途上で栄西と合流している。入宋時代の重源は、寄進した周防の材木を使って阿育王寺の舎利殿を修復し、阿育王寺は重源の像を舎利殿にかざって謝意を表明した。重源はそうした実績をもとに、1180年、平重盛によって消失した東大寺伽藍の大規模な修復事業を担当し、中国から陳和卿をはじめとする鋳物師や

屋根には寺院を守護する神獣が見える、阿育王寺

道元はここ天童寺で修行をし、日本曹洞宗を開いた

ブッダの遺灰舎利信仰で名高い名刹

都から離れた自然のなかにたたずむ天童寺

石工集団が渡来している（源平の合戦のさなか、東大寺焼討を命じた平清盛は熱病でなくなった）。南宋の技術を使った宋風の彫刻、井戸、瓦などが奈良、博多に残り、東大寺の石獅子には寧波東銭湖墓前石像群との類似性が認められる。陳和卿は鎌倉の源実朝に「あなた（実朝）は昔、寧波育王山の長老で、私（陳和卿）はその門弟であった」と言い、宋行きを決意した実朝は大船を用意したものの、その船は砂浜で朽ちてしまった。

017

栄西道元学んだ禅宗祖庭

★★☆
保国寺／保国寺 バァオグゥオスウ
★☆☆
鄞州新城／鄞州新城 イィンチョウシンチャン
東部新城／東部新城 ドォンブウシンチャン
梁祝文化公園／梁祝文化公園 リィアンチュウウェンフゥアゴォンユゥエン

鄞州新城城市案内

寧波旧城の南郊外に位置する鄞州新城
広大な街区をもつ計画都市で
寧波の新たな顔と言える寧波博物館が立つ

鄞州新城／鄞州新城 ★☆☆

yín zhōu xīn chéng

ぎんしゅうしんじょう／イィンチョウシンチャン

　寧波市街から南5kmの郊外に広がる新市街の鄞州新城。行政庁舎や寧波博物館の位置する鄞州公園を中心に、その周囲に大規模な商業施設や高層ビルがならぶ。鄞州公園の北側に立つ「万達広場」「聯盛購物広場」といった大型商業店舗、北東に「斯瑪特広場」「印象城」「銭湖天地」が巨大商業区を形成するBEST広場が見られる。また大学や企業の研究所、工場、スポーツセンターも集積し、寧波経済、文化の新たな中心地となっている。1995年に開発がはじまり、緑地を確保しながら都市づくりは進められている。

寧波博物館／宁波博物馆 ★★☆

níng bō bó wù guǎn

にんぽーはくぶつかん／ニィンボウボオウウグゥアン

　鄞州新城の中心に立ち、2008年に完成した寧波博物館。高さ24m、南北144m、東西65mの巨大建築で、寧波の瓦を積みあげた独特の外壁をもつ。寧波郊外で発掘された7000年前の河姆渡遺跡、越窯から出土した陶磁器、南宋時代の宋人石刻、宋代の明州城（寧波旧城）、船の文化など豊かなこの地の民俗模様を「東方神舟」「阿拉老寧波」といった展示で紹介す

鄞州新城

寧波旧城
寧波駅
地鉄2号線
雲霞路
麗園南路

江東南路

奉化江
広徳湖北路
広徳湖北路

天童北路

杭甬高速公路

環城南路

寧南北路

地鉄地号線
錦寓路

銭湖北路
斯瑪特広場
印象城
銭湖天地

BEST広場

四明中路
万達広場
四明中路

聯盛購物広場
鄞州区政府

鄞県大道

天童南路

寧波博物館
鄞州公園

首南中路

南部商務区

0km　　　　　　　　　　　3km

N

る。海のシルクロードの中国側の起点であった寧波とその近郊で発掘された遺品の収蔵のほか、寧波の文化、教育拠点という役割も果たしている。

★★☆
寧波博物館／宁波博物馆 ニィンボウボオウウグゥアン
★☆☆
鄞州新城／鄞州新城 イィンチョウシンチャン

高層マンションが林立する鄞州新城

圧巻の現代建築、寧波博物館

Dong Bu Xin Cheng
東部新城城市案内

寧波旧城をはさんで甬江東側に広がる江東
東部新城は江東のさらに東郊外に整備された
大型施設が集まり、寧波旧城と地下鉄で結ばれている

東部新城／东部新城 ★☆☆
dōng bù xīn chéng
とうぶしんじょう／ドォンブウシンチャン

　東部新城は、21世紀になってから江東で開発が進んだ寧波の新たなCBD（中央商務区）。「寧波国際金融中心」「寧波国際会展中心」「寧波中心」「環球航運広場」といった大型プロジェクトが次々に進められ、寧波新市街を形成している。水や自然を街区にうまくとりこんで環境に配慮した街並みが広がる。

寧波文化広場／宁波文化广场 ★☆☆
níng bō wén huà guǎng chǎng
にんぼーぶんかひろば／ニィンボウウェンフゥアグゥアンチャアン

　住民の娯楽や学習、休暇にこたえる大型施設が一堂に集まる寧波文化広場。クラシック・コンサートや演劇が催される大劇院、宇宙や地球について体験しながら学べる科学探索中心、子供たちが文化や芸術にふれる文化芸術培圳中心、大型ショッピング・モール、映画館などからなる。市民芸術祭といったイベントも開かれている。

★☆☆
東部新城／东部新城 ドォンブウシンチャン
寧波文化広場／宁波文化广场 ニィンボウウェンフゥアグゥアンチャアン

東部新城

明楼
地鉄3号線
福明路
体育館
寧波国際会展中心
東部新城
寧波旧城へ
福慶北路
環球航運広場
寧波国際金融中心
民安東路
世紀大道
寧東路
地鉄1号線
福明路
寧波中心
海晏北路
福慶北路
阿育王寺天童寺へ
世紀大道
中山東路
寧波文化広場
后塘河
海晏北路
百丈東路
寧波東駅
滄海路
環城南路
0km   3km
N

阿育王寺鑑賞案内

寧波から東30kmに位置する阿育王寺
唐代の寧波成立以前の中心である
鄞県はこのあたりにあった

阿育王寺／阿育王寺★★★

â yù wáng sì

あしょかおうじ／アアユウワァンスウ

　インド・マウリヤ朝のアショカ王(紀元前3～前2世紀ごろ)が建てた8万4000の仏塔の伝説が残る阿育王寺。晋代の281年、劉薩訶(慧達)が育王山の地下から響く鐘の音を聴き、祈り続けていると、舎利塔が現れたのでここに精舎を建てたという。405年、この仏塔を保護するための亭や伽藍が整備され、当時は会稽山鄞県塔と呼ばれていたが、522年、仏教を篤く信仰した梁の武帝がアショカ王にちなんで「阿育王寺」と命名した。そのとき、仏塔から仏典に記されたのとほとんど同じ状態のブッダの爪髪が出土し、阿育王寺を中心とする舎利信仰が高まっていった(舎利とはブッダの遺灰)。平安時代の日本にも阿育王寺の仏舎利信仰は伝わり、多くの日本仏僧が育王山に参拝している。元・明・清代を通じて破壊と再建を繰り返したが、天童寺とならぶ古刹として多くの仏教徒の信仰を集めている。

阿育王寺の伽藍

　育王山南麓に展開し、天王殿から大雄宝殿、舎利殿と軸線上に続く阿育王寺の伽藍。黄色の屋根をもつ高さ15.3mの

寧波東郊外

棄海

甬舟高速公路

舟山群島

定海へ

金塘
大橋

鎮海

北侖港

大榭島

鎮海北侖

餘江

東部新城

阿育
王寺

寧波駅

育王天童

周堯昆虫
博物館

雅戈爾
動物園

天童寺

東錢湖

南宋
石刻公園

象山港

0km

30km

N

舎利殿には、石舎利塔がもうけられ、そのさらになかの木塔に舎利容器が安置されているという。この軸線上の伽藍を守るように、東西に仏塔、伽藍背後に上塔が立つ。高さ53mの東塔は、雪舟(1420～1506年)の描いた絵をもとに1992年に再建され、元代の1364年創建の西塔は1979年に再建された。また鑑真(688～763年)が第3回の船出にあたって、しばらく阿育王寺に身を寄せていたことから鑑真紀念亭も立つ(舟山群島で暴風雨にあった鑑真は、寧波の官船に助けられ、阿育王寺の庫裏で保護された。鑑真は6回目の渡航で日本にたどり着いた)。

アショカ王と8万4000の塔

「阿育王寺(King Ashoka Temple)」という寺院名は、「法の王」と呼ばれたマウリヤ朝のアショカ王に由来する。紀元前3～前2世紀ごろ、アショカ王はインド統一戦争で10万人の死者を出し、それを深く悔やんで仏教に帰依した。アショカ王はブッダの舎利(遺灰)を掘り起こして細かくわけ、8万4000の塔を各地に建てたと伝えられ、阿育王塔はそのひとつだという(周の敬王のときのものとされる)。ブッダの遺灰をおさめるストゥーパ(塔)への信仰は広まり、とくに杭州を都とした呉越国(907～978年)王の銭弘俶は仏教を篤く信仰し、アショカ王にならって8万4000の宝塔をつくった(小さいものは鉄製で高さ20cmほど)。銭弘俶の仏塔は日本にも伝わり、日本では11世

★★★
阿育王寺／阿育王寺 アアユウワァンスウ
天童寺／天童寺 ティエントンスウ

★★☆
南宋石刻公園／南宋石刻公園 ナンソンシイカアゴンユゥエン

★☆☆
東銭湖／东钱湖 ドォンチィエンフウ
鎮海／镇海 チェンハイ
北侖／北仑 ベェイルゥン
東部新城／东部新城 ドォンブウシンチャン

阿育王寺

N

育王山
舎利塔

上塔

阿育王寺

蔵経楼
舎利殿
大雄宝殿
天王殿
東塔

白雲
竹院
西塔

育王広場

五
郷
東
路
路

寧波へ

宝
瞻
路

天童寺へ

0m   300m

紀ごろに仏舎利信仰が盛んになり、空海請来の東寺舎利、鑑真請来の唐招提寺舎利が知られる。

栄西、浙江の旅

894年の遣唐使廃止後、日本と中国のあいだの実質的な外交官の役割をになったのが、高い教養をもった比叡山の僧侶たちだった。比叡山にいた栄西は、中国仏教への憧れを胸に、1168年と1187年の二度、寧波から中国（南宋）に足を踏み入れている。二度目の渡航にあたって、都杭州で仏教の生まれたインド行きを直訴したが、「北と西域に異民族がいて、交通がふさがれている」という理由から許可がおりなかった（栄西は皇帝孝宗との接見が許され、千光法師という称号が送られた）。そのため栄西は4年間、浙江の仏教寺院をめぐり、天台山万年寺、天童山景徳寺に拠点のあった禅宗一派の臨済宗黄龍派を学んだ。栄西は帰国後、最先端の中国仏教を体得した者として、鎌倉の世で勢力を誇った。また栄西や重源ら日本僧は阿育王寺や天童寺に木材を寄進しているが、中国側には日本仏僧の渡航を許し、袈裟などをあたえる代わりに実利を得るねらいがあったという。

中国語の「塔」はストゥーパ(卒塔婆)からとられている

四隅のそりあがった中国の伝統建築

育王山の麓に展開する阿育王寺の伽藍

アショカ王伝説の舎利をおさめる舎利殿

Tian Tong Si
天童寺鑑賞案内

天童寺は「東南仏国」と呼ばれる名刹
栄西や道元がこの地で禅宗を学んだことから
日本禅宗の祖庭とされる

天童寺／天童寺★★★
tiān tóng sì
じゅせいこう／ティエントォンスウ

　栄西や道元ゆかりの寺院で、中国仏教を代表する高僧が住持した天童寺。晋代の300年、寧波太白山の麓に義興が建てた寺院をはじまりとし、天童寺という名前は「天から童子がおりてきて精舎づくりを手伝った」という故事に由来する。当時の寺は今よりも東側にあったが、唐代の757年、宗弼によって現在の地に遷された（759年、勅命で天童玲瓏寺と改称され、1392年に天童寺となった）。寺院の前面に広がる池、水害をさけるための石づくりの七塔（1134年建設）から、山門をかねた天王殿、釈迦・薬師・阿弥陀の三如来をまつる仏殿、法堂へと続き、最盛期には999の部屋があったという。とくに道元は天童寺の如浄禅師に師事し、曹洞宗を日本に伝えたことから、東禅堂には道元を顕彰するための碑が残る。また日本曹洞宗の本山永平寺（福井）は天童寺の山門、仏殿、法堂、僧堂、庫院、浴司、東司の七堂伽藍を写したものとなっている。

五山十刹とは

　五山十刹は、杭州を都とした南宋（1127～1279年）時代、禅宗を中心とした仏教寺院を国家の統制におく目的で整えられ

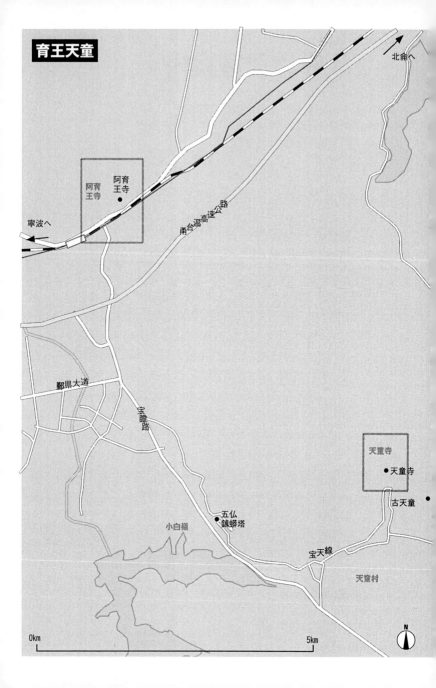

育王天童

北侖へ

寧波へ

阿育王寺

阿育
王寺

甬台温高速公路

鄞県大道

宝瞻路

小白嶺

五仏
鎮蟒塔

宝天線

天童寺

天童寺

古天童

天童村

0km　　　　　　　　　　　　　5km

N

た。都杭州の径山寺(1位)、霊隠寺(2位)、浄慈寺(4位)、港町寧波の天童寺(3位)、阿育王寺(5位)が五山とされ、十刹がそれに続いた。この五山はインドの霊鷲山、帝釈窟山といった天竺五精舎にならったもので、禅寺は山に建てられることが多かったので、太白山(天童寺)、育王山(阿育王寺)など山名でも呼ばれる。この五山十刹の制度を提唱したのが寧波出身の宰相史弥遠で、南宋五山十刹は鎌倉五山、京都五山へと伝えられた。ここ天童寺にいた蘭渓道隆は、鎌倉へと旅立ち、建長寺を開山している。

天童寺で学んだ道元

　中国から帰国した栄西(1141〜1215年)は建仁寺を創建し、そのもとにいた道元(1200〜53年)は栄西の高弟明全にしたがって1223年、入宋した(道元は3か月のあいだ寧波港の船中で逗留したあと、天童寺へとやってきた)。やがて天童寺から径山寺(杭州)、台州、温州にいたる浙江各地の仏教寺院を巡礼し、1225年、天童寺に戻って新たに赴任した如浄禅師について修行することになった。道元は如浄禅師から「(あらゆる束縛から自由になる)身心脱落とは坐禅なり」といった教えを受け、厳しい修行ののち、日本に帰国し、日本曹洞宗を開いた。臨済宗を開いた栄西と異なって、道元は政治権力と離れること、自然のなかで修行することを旨とし、「越前(福井)」で永平寺を開山した。師である如浄禅師の出身地が「越州(紹興)」であったことから、「その名を聞くもなつかしい」と北越下向を決意したという。

***
阿育王寺／阿育王寺 アアユウワンスウ
天童寺／天童寺 ティエントォンスウ

★☆☆
古天童／古天童 グウティエントォン
五仏鎮蟒塔／五佛鎮蟒塔 ウウフウチェンマァンタア

天童第一座

　遣明使として寧波から北京へとのぼった雪舟(1420〜1506年)は、中国の街々を書画にしたため、「浙派」の影響のもと画風を確立した。雪舟は帰国後、「天童第一座、日本画聖僧」と水墨画に記していることからも、天童寺で第一の席に座るのを許されたことを誇りとした(浙江では「首座」ではなく「第一」という言葉が使われた)。鎌倉時代、室町時代から江戸時代にかけて中国の文物が日本の統治者たちに好まれ、中国と関連づけることで自らを権威づけようとする意図も見られた。

天童風景名勝区／天童风景名胜区★☆☆
tiān tóng fēng jǐng míng shèng qū
てんどうふうけいめいしょうく／ティエントォンフェンジィンミンシェンチュウ

　晋(265〜420年)の行脚僧義興が魅せられた太白山の美しい自然。広葉樹林におおわれ、松や竹の生い茂る森林が一帯に広がっている。義興が庵を結んだ「東谷庵」、清らかな水の流れる「羅漢溝」、高さ55.6mの「千仏塔」など、奇岩や渓流、洞窟、景勝地が点在し、あたりは森林公園として整備されている。またこの地に生息するタイリクジャコウアゲハはじめ、多くの蝶が寧波を基産地とすることでも知られる。

古天童／古天童★☆☆
gǔ tiān tóng
こてんどう／グウティエントォン

　古天童は晋代の300年、各地を放浪していた仏僧義興が最

初に天童寺を開いた場所。読経を行ないながら、精舎を建設しようとする義興のもとに、ひとりの童子がやってきて、毎日のように木材を運んだり、水を汲むなどして精舎づくりを手伝った。精舎がいよいよ完成しようとするとき、童子は「（自分が）玉皇大帝の使いで、童子に姿を変えた太白金星であること」を告げ、去っていった。そこで義興は山を「太白山」、寺を「天童寺」と名づけた。唐代の757年、太白山東麓の古天童から、現在の場所に伽藍が遷された。

五仏鎮蟒塔／五佛镇蟒塔 ★☆☆

wǔ fú zhèn mǎng tǎ

ごふつちんぼうとう／ウウフウチェンマァンタアア

　天童寺から少し離れた小白嶺に立つ仏塔には、ひとつの伝承が残っている。唐代、このあたりに一匹の蟒（うわばみ、巨大な蛇）が棲み、人びとや家畜を食べていた。天童寺の心境法師は、毎日、5人の僧に食べものをもたせ、人を食べる代わりとするよう告げたが、ついには5人の僧も蟒に食われてしまった。そこで心境法師は立ちあがって蟒に説法をして悪事を浄め、焼いた蟒の遺灰をこの塔に葬った。こうして「5人の仏僧」と「蟒（うわばみ）」をとって五仏鎮蟒塔と命名された。

天童寺の伽藍はそのまま永平寺に写された

大雄宝殿にあたる天童寺の仏殿

天童寺で修行した道元の肖像画と碑が残る

高さ55.6mの千仏塔

寺内は屋根のついた回廊で結ばれている

自然に抱かれて位置する天童寺

寧波東郊外に位置する寧波東駅

鎮海、北侖といった海港を中心に開発が進む

Dong Jiao Qu
東郊外城市案内

南宋の宰相史弥遠の一族が本拠を構えた東銭湖
寧波から甬江をくだった鎮海
中国屈指の良港をもつ北崙が位置する

東銭湖／东钱湖★☆☆
dōng qián hú
とうせんこ／ドォンチィエンフウ

　寧波南東郊外に位置する東銭湖は、周囲45km、杭州西湖の3倍の面積をもつ浙江省でもっとも広い淡水湖。この湖が整備されたのは唐代の744年のことで、その風光明媚さから南宋の名門氏族史氏の本拠地となっていた。宋・元・明・清代を通じて、この湖を農地化するか、淡水確保のために保全するかといった意見が交わされ、明末清初以降、龍船競争が行なわれるようになった。東銭湖に浮かぶ陶公島、湖の両対岸を結ぶ堤(小普陀)はじめ旅游区として整備され、周囲にはホテルのほか周尭昆虫博物館、雅戈爾動物園が位置する。

南宋石刻公園／南宋石刻公园★★☆
nán sòng shí kē gōng yuán
なんそうせっこくこうえん／ナンソォンシイカアゴンユゥエン

　安楽山の麓、史漸、史弥遠の墓を中心に、石刻200体が残る南宋石刻公園。史氏は南宋(1127～1279年)時代、三代に渡って皇帝に準ずる権力者の宰相をつとめ、寧波郊外の東銭湖ほとりを拠点としていた。史氏陵墓に続く参道には、寧波付近の梅園石を使った牌楼、文人と武人、馬、虎、羊石笋、石鼓といった石刻が見られ、皇帝陵墓を彷彿とさせる。これら

寧波東郊外

東海

舟山群島

定海へ

甬舟高速公路

金塘
大橋

鎮海

北侖港

大榭島

鎮海北侖

甬江

阿育
王寺

東部新城

寧波駅

青王天童

周堯昆虫
博物館

雅戈爾
動物園

天童寺

東錢湖

南宋
石刻公園

象山港

0km   30km

N

鎮海北侖

N

東海

舟山群島

招宝山
●招宝山大橋

南江

鎮海

大榭島へ →

北侖港

進港中路

泰山西路

北侖

明州路

甬台温高速路

中河路

長江路

●鳳凰山
海港楽園

穿山疏港高速公路

阿育王寺

寧波へ →

宝瞻路

育王天童

東銭湖
南宋石刻公園へ →

●天童寺

0km

10km

の石刻は、同時代重建の奈良東大寺に残る石刻と類似していて、担い手や石刻技術で両者の関係が指摘されている（南宋から帰国した重源にひきいられ、東大寺再建には多くの宋人が参加したという）。紹興郊外に南宋皇帝の簡素な陵墓群が残っているが、奪われた故地華北にいずれはまつられるはずだったため、実質、南宋石刻公園のものが南宋時代最高の陵墓建築となっている。あたりに点在していた石刻を屋外1か所に集めて2001年に開園した。

鎮海／镇海 ★☆☆
zhèn hǎi
ちんかい／チェンハァイ

　寧波旧城から甬江を25kmくだった東海口に位置する鎮海。内陸港(河港)の寧波に入るために必ず通る必要のあった海の要衝で、寧波の外港という性格をもってきた。航海の安全や海難事故をめぐる伝説が多く残り、龍神廟や海神廟、造船所がおかれていた(舟山の「定海」や「寧波」とともに海の安全を願う「鎮海」という名前がつけられている)。海に直結した地域性から多くの冒険的な華僑を輩出し、鎮海出身の方家一族は上海に進出した寧波人の指導者的役割を果たした。現在は鎮海経済開発区、保税区といった経済特区がおかれ、隣接する北侖(寧波経済技術開発区)、内陸部の寧波三江口とともに寧波「3つの港」のひとつを構成する。

★★★
阿育王寺／阿育王寺 アアユウワァンスウ
天童寺／天童寺 ティエントォンスウ
★★☆
南宋石刻公園／南宋石刻公园 ナンソォンシイカアゴンユゥエン
★☆☆
東銭湖／东钱湖 ドォンチィエンフウ
鎮海／镇海 チェンハァイ
招宝山／招宝山 チャオバオシャン
北侖／北仑 ベェイルゥン
寧波鳳凰山海港楽園／宁波凤凰山海港乐园 ニィンボウフェンフゥアンシャンハァイガンラアユゥエン
東部新城／东部新城 ドォンブウシンチャン

招宝山／招宝山★☆☆
zhāo bǎo shān
しょうほうさん／チャオバオシャン

　東海に面する鎮海にそびえ、「大洋の障壁」と言われた招宝山。東海から甬江へ入る船が目印にしたという山で、寧波に行くためには必ず招宝山のそばを通ることになった(招宝山という名前は、航海を守護する古い神さま招宝七郎と関係すると言われる)。明代、浙江の海岸地帯を荒らした倭寇対策の軍事拠点「威遠城」、アヘン戦争で活躍した1841年の「3つの大砲」、アヘン戦争以後すえられた「安遠砲台」が残り、あたりは鎮海口海防遺跡に指定されている。また高さ57.6mの「鰲柱塔」が堂々とした姿を見せる。

北侖／北仑★☆☆
běi lún
ほくろん／ベイルゥン

　鄧小平による大きな経済政策の転換「改革開放」を受けて、1984年から開発の進んだ北侖。大型船も接岸できる深水港、舟山群島が風をふせぐ立地など、北侖港は天然の良港をもち、中国を代表する「東方大港」と呼ばれている(鎮海、大榭島、舟山とあわせた港湾環境から、19世紀以来、水をあけられた上海港を追っている)。現在は北侖に寧波経済技術開発区がおかれ、石油化学、鋼鉄産業、造船、鉄鉱石、エネルギー産業といった重工業基地となっているほか、海岸線にそって水辺の環境に配慮した街づくりも進められている。長江デルタという巨大な後背地、また杭州湾跨海大橋をへて上海と結ばれた立地条件をもつ。

寧波鳳凰山海港楽園／宁波凤凰山海港乐园★☆☆
níng bō fèng huáng shān hǎi gǎng lè yuán
にんぼーほうおうさんかいこうらくえん／ニィンボウフォンフゥアンシャンハァイガンラアユゥエン

　北侖に位置し、多彩なアトラクションやイベントで知ら

れるアミューズメント・パークの寧波鳳凰山海港楽園。「世界広場」「魔幻村荘」「鳳凰城堡」「探険旅程」「歓楽水世界」「東海竜宮」「波波港湾」といった世界から構成されるアトラクション、サーカスや劇を行なう水手劇場や海洋劇場、またショッピング・モールやレストランが一体となっている。

北郊外城市案内

江南最古の木造建築が残る保国寺
徐福が東海に向かって出発したという達蓬山
7000年前の稲作跡の確認された河姆渡遺跡への旅

梁祝文化公園／梁祝文化公園★☆☆
liáng zhù wén huà gōng yuán
りょうしゅくぶんかこうえん／リィアンチュウウェンフゥアゴォンユゥエン

　　浙東に古くから伝わる民間伝承の『梁山泊と祝英台』にま
つわる梁祝文化公園。東晋(317〜420年)時代、祝英台(女)は女
性であることを隠(男装)して都で学問を志し、そこで梁山伯
(男)と出逢った。祝英台は梁山伯に想いを寄せるようにな
るが、女性であることを隠しているため、その想いを打ち明
けられなかった。祝英台が故郷に戻ったあと、梁山伯は祝英
台が女性であることを知り、はじめて異性として意識する
ようになった。ところが祝英台は親のとり決めで富豪の息
子と結婚することが決まっていて、それを聞いた梁山伯は
なくなってしまった。婚礼の日、祝英台が梁山伯の墓に来る
と、墓がまっぷたつにさけ、祝英台はそこに飛び込んだ。す
ると、2匹の蝶が舞ったという。この『梁山泊と祝英台』の物
語は劇でも演じられ、梁祝文化公園には梁山伯の墓、祝英台
の家、梁聖君山伯廟などが位置する。

保国寺／保国寺★★☆
bǎo guó sì
ほこくじ／バァオグゥオスウ

　　寧波市街から北に13km、霊山の麓に残り、寧波天封寺とと

もに天台宗の信仰拠点となっていた保国寺。古くは後漢の驃騎将軍張意の子張斉芳が隠居した邸宅だったと言われ、その後、寄進されて霊山寺となった。会昌の廃仏(845年)で荒廃したが、唐代の880年、皇帝僖宗により保国寺の勅額とともに可恭和尚によって再建された。天王殿、大雄宝殿、観音堂、蔵経楼といった伽藍がならび、とくに北宋時代の1013年に建てられた大雄宝殿は、江南に現存する最古の木造建築となっている(釘を使わず、柱と梁を組みあわせてドーム状の装飾屋根をつくる)。また唐代の一対からなる陀羅尼石経幢も残っている。

達蓬山／达蓬山★☆☆
dá péng shān
たつほうさん／ダアパンシャン

　寧波北の慈渓に位置する達蓬山は、秦の始皇帝の命で東海に旅だった徐福船団「出発の地」と伝えられる(江蘇連雲港や浙江慈渓あたりが出港地とされる)。東海にあるという不老不死の仙薬を求めた徐福は、ついに中国には帰ってこなかったが、日本に到着したともいう。紀元前210年、徐福が少年少女数千人をひきい、稲など五穀の種をもって東海へ向かったという伝説から、慈渓達蓬山には徐福記念館が立つ(実証されていないが、中国では徐福が神武天皇だとする説もある)。

★★☆
保国寺／保国寺 バァオグゥオスウ
河姆渡遺跡／河姆渡遺址 ハアムウドウイイチイ
★☆☆
梁祝文化公園／梁祝文化公园 リィアンチュウウェンフウアゴォンユゥエン
達蓬山／达蓬山 ダアパンシャン
慈城古鎮／慈城古镇 ツウチャングウチェン
朱貴祠／朱贵祠 チュウグイツウ
上林湖越窯遺跡／上林湖越窑遺址 シャンリンフウユエヤオイイチイ

慈城古鎮／慈城古镇★☆☆

cí chéng gǔ zhèn

じじょうこちん／ツゥチャングウチェン

　寧波から北西に10㎞、浙東地方の伝統的な街並みを残す慈城古鎮。古くはこのあたりに越の港「句章」があったと言われ、現在の慈城古鎮は唐代の729年につくられた。この古鎮には、病の母のために「毎日、（息子が）遠くの川の水を汲みに行き、やがてその母親が快復した」という親孝行話から、「慈城（親孝行の街）」と名づけられた。白い漆喰壁と黒の屋根瓦、孔子廟や伝統家屋が続き、火事の際、隣家に炎がうつらないよう、またその家の格式を示すこの地方独特の馬頭壁（うだつ）があがっている。慈城古鎮は、学者や官吏など多くの文人を輩出したことでも知られる。

朱貴祠／朱贵祠★☆☆

zhū guì cí

しゅきし／チュウグイツウ

　大宝山の麓、慈城古鎮のそばに残るアヘン戦争（1840〜42年）でイギリスと戦った英雄をまつる朱貴祠（高節祠）。1841年、朱貴はその子の昭南と900の兵をひきいて、舟山を拠点とするイギリス軍と戦い、生命を落とした。1843年、朱貴と戦死した人びとを追悼する目的で、この祠が建てられ、碑文が残る。またこの祠の敷地では、南宋石刻公園のものに通じる石刻が見られる。

河姆渡遺跡／河姆渡遗址★★☆

hé mǔ dù yí zhǐ

かぼといせき／ハアムゥドウイチイ

　1973年に発掘され、黄河文明を中心とする中国の歴史観をくつがえす「世紀の発見」となった河姆渡遺跡。世界有数の古さをもつ紀元前5000〜前3300年ごろの新石器時代遺跡で、河姆渡遺跡の存在で稲作の起源は2000年さかのぼる

寧波郊外とのバスが発着する寧波客運中心

徐福や梁山伯と祝英台、浙東にはさまざまな伝承が残る

河姆渡から舟山群島、そして日本へ稲作は伝わった

全長36km、それまでの常識をくつがえすような杭州湾跨海大橋

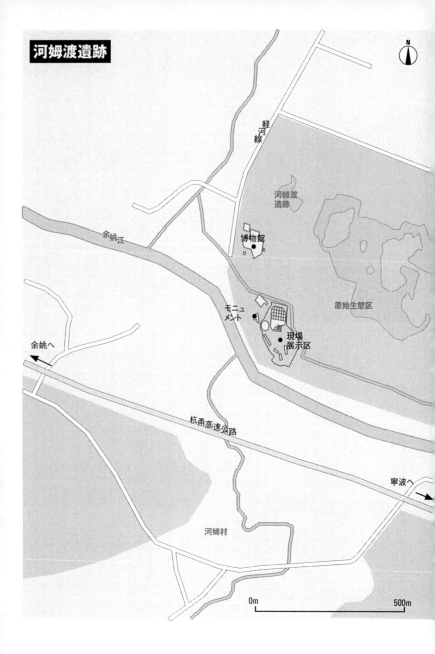

河姆渡遺跡

N

経河線

河姆渡
遺跡

余姚江

博物館

原始生態区

余姚へ

モニュ
メント

現場
展示区

杭甬高速公路

寧波へ

河姆村

0m　　　　　　　　　500m

ことになった。高床式の倉庫、稲の籾殻、石製・木製・骨製の農具や工具、貝殻の刃物、水牛、鹿の骨などが見つかっていて、河姆渡人は稲作と漁撈を生活の糧としながら、家畜を飼っていたという(地元の農民たちが行なった工事の際に偶然、発見され、河姆渡という名前は、余姚江北岸の渡頭村、南岸の河姆村から名づけられた)。この河姆渡文化は寧紹平原と舟山群島に広がり、黄河文明に匹敵する長江文明を代表する文化となっている。1993年、河姆渡遺跡として整備され、河姆渡人が信仰したという鳥と太陽の意匠が見られる巨大な「モニュメント」、遺跡発掘現場の「現場展示区」、写真や模型で河姆渡遺跡を紹介する「博物館」が位置する。

稲作の伝播

稲作の起源は、かつて雲南からアッサム地方とされたが、現在は長江中流から下流域でより古い時代のものがみつかっている。また弥生時代の日本に伝わった稲作も、朝鮮半島を経由したという説に代わって、江南から直接、海流に乗って伝播したという説が有力になっている(その重要な発信地が河姆渡遺跡)。「米」を運ぶだけでは稲作は伝わらず、「稲の苗」と「稲作をする人」「その技術」が移動してはじめて伝播が可能となる。そのため浙江にあり、紀元前333年に滅んだ越の遺民が、日本に稲作を伝えたという仮説もたてられている。また西日本から江南、雲南、東南アジア北部、アッサムにかけての照葉樹林地帯で、「もち米を好む」「大豆から納豆をつくる」「麹で酒をつくる」「漆で漆器をつくる」といった文化、歌垣の習慣、神話や伝説の共通点が見られ、これらの地域は照葉樹林文化地帯として知られる。

上林湖越窯遺跡／上林湖越窑遗址 ★☆☆
shàng lín hú yuè yáo yí zhǐ
じょうりんこえつよういせき／シャンリンフウユエヤオイイチイ

　寧波の北西35km、上林湖のほとりに残る上林湖越窯遺跡。良質な土と水に恵まれた浙江では、後漢時代(1世紀ごろ)から中国最先端の陶磁器が焼かれ、それらは越窯と呼ばれていた。上林湖、上虞、東銭湖などに窯がおかれ、とくに杭州を都とした呉越、南宋時代には最高品質の陶磁器が焼かれていた。ここで焼かれた陶磁器は、寧波を通じて日本、朝鮮、東南アジアからアラブ、ペルシャへと運ばれ、中国の重要な輸出品目となっていた。

杭州湾跨海大橋／杭州湾跨海大桥 ★☆☆
háng zhōu wān kuà hǎi dà qiáo
こうしゅうわんこかいおおはし／ハンチョウワンクゥアハイダアチャオ

　杭州湾をはさんで南に位置する寧波と、北に位置する上海を結ぶ杭州湾跨海大橋。2008年に開通した全長36km、幅33mの長大な橋で、黄土色をした海原のうえをすべるように走る。この橋が完成する以前、陸路では杭州経由で迂回しなくてはならなかった寧波と上海の距離を120km短縮し、長江デルタ経済の一体化を進めることになった(寧波が上海から2時間圏になり、中国有数の港湾環境をもつ北侖港で陸揚げされた物資が上海方面へ運べる)。杭州湾跨海大橋近くの杭州湾南岸、寧波側で上海にもっとも近い場所に杭州湾大橋新区がおかれている。

西郊外城市案内

王陽明や朱舜水などの文人を輩出した余姚
蒋介石の生まれ故郷の奉化
寧波西部から南西郊外の景勝地

岳林寺／岳林寺★☆☆

yuè lín sì

がくりんじ／ユエリンスウ

　寧波から天台山へ向かう途上の奉化に位置する岳林寺。南朝梁代（6世紀）に建立された古刹で、呉越国の10世紀に布袋和尚が籍をおいた寺と知られる。布袋和尚は大きな布袋腹、笑みを浮かべた容姿で、乞食をしながら各地を遍歴し、人びとからもらったものすべてを大きな袋（布袋）に入れたという。のちに弥勒仏の化身と見られるようになり、江戸時代の日本で七福神のひとりとして信仰された（大きな袋に財宝が入っている）。

鄞江／鄞江★☆☆

yín jiāng

ぎんこう／インジィアン

　寧波市街から南西20kmに位置する鄞江。821年に寧波旧城が築かれる以前、この地に行政府がおかれていた。かつて海水が鄞江あたりまでさかのぼり、寧波地域では淡水の確保が難しかったことから、833年、長さ113.7mの它山堰が築かれた。它山堰は寧波に安定した淡水をもたらし、農業を促進したことから、鄞江ではこの水利事業を主導した王元暐をまつる廟会が連綿と続いている。

寧波西郊外

杭州湾
杭州湾
跨海大橋

東海

滬海高速公路

上林湖
越窯遺跡

逹蓬山

余姚

慈城
古鎮

保国寺

紹興へ

杭甬高速公路

河姆渡
遺跡

大寧寺

寧波駅

寧波繞城高速公路

寧波
空港

寧波櫟社

鄞州
新城

鄞江

四明山

黄宗羲
紀念館

雪竇寺

張学良
第一幽禁地

蒋氏故里

0km

30km

岳林寺

N

蒋氏故里／蒋氏故居★☆☆
jiǎng shì gù jū
しょうしこり／ジィアンシイグウジュウ

　　孫文のもとで軍人として台頭し、国民党の実権をに
ぎった蒋介石(1887～1975年)の生まれ育った蒋氏故里(渓
口)。蒋介石の一族は、奉化江を40kmくだって寧波に通じ
る奉化に、元代の13世紀に移ってきて、17世紀から奉化
渓口で暮らすようになった。一族は農耕をなりわいとし
たが、蒋介石の祖父蒋玉表が塩商人として台頭した。蒋
介石はこの蒋氏故里で子供のころ、戦争ごっこをして遊
び、やがて1905年、寧波の箭金学堂に学んだ。日本留学
後、広州の黄埔軍官学校の校長となったことで権力をに
ぎり、孫文死後、寧波から上海に進出した浙江財閥の力を
借りて中国屈指の実力者となった(蒋介石・宋子文・孔祥熙・陳
立夫の四大家族を中心とする浙江財閥)。蒋氏故里には、武嶺西
路にそって蒋氏故居、蒋氏宗祠、祖父の経営した店の玉泰
塩鋪、武嶺門、摩訶殿、民国大雑院などが残る。1949年、国
共内戦に敗れた蒋介石の国民党は台湾に遷った。

★★☆
河姆渡遺跡／河姆渡遺址 ハアムウドウイイチイ
保国寺／保国寺 バァオグゥオスウ
★☆☆
岳林寺／岳林寺 ユエリンスウ
鄞江／鄞江 インジィアン
蒋氏故里／蒋氏故居 ジィアンシイグウジュウ
張学良第一幽禁地／张学良第一幽禁地 チャンシュエリィアンディイヨォウジンディ
四明山／四明山 スウミンシャン
余姚／余姚 ユウヤオ
慈城古鎮／慈城古镇 ツウチャングウチェン
達蓬山／达蓬山 ダアパンシャン
上林湖越窯遺跡／上林湖越窑遺址 シャンリンフウユエヤオイイチイ
杭州湾跨海大橋／杭州湾跨海大桥 ハンチョウワンクゥアハイダアチャオ
鄞州新城／鄞州新城 イィンチョウシンチャン

蒋氏故里

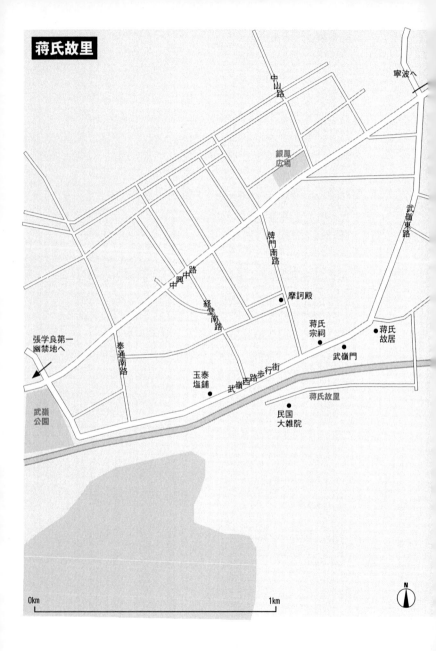

中山路

寧波へ

銀鳳広場

武嶺東路

牌門南路

中興中路

摩訶殿

経堂南路

蒋氏宗祠

蒋氏故居

張学良第一幽禁地へ

武嶺門

奉通南路

武嶺公園

玉泰塩鋪

武嶺西路歩行街

蒋氏故里

民国大雑院

0km

1km

N

張学良第一幽禁地／张学良第一幽禁地★☆☆

zhǎng xué liáng dì yī yōu jìn dì

ちょうがくりょうだいいちゆうきんち／チャンシュエリィアンディイヨウジンディ

　日本の侵略が進むさなかの1936年、西安事件を起こして上官の蒋介石を監禁し、国共合作へと導いた張学良。国共合作から日本敗戦への大きな道筋をつくったが、上官暴行脅迫罪により、半世紀にわたる軟禁生活を送ることになった。蒋介石の故郷奉化に近い張学良第一幽禁地が軟禁生活のはじまりとなった場所で、張学良はここで昼はテニスや水泳をし、夜はラジオに耳をかたむけたという。日本軍の侵攻にあわせて安徽省、江西省、湖南省、貴州省などを転々とし、1946年、重慶から飛行機で台湾に移された(張学良は1991年に釈放され、2001年、ハワイでなくなっている)。張学良第一幽禁地では張学良が使っていた部屋が再現され、写真や年表で「民族の英雄」と周恩来にたたえられた張学良を紹介している。あたりは南宋五山十刹の十刹のひとつ雪竇寺、蒋介石別荘が残り、雪竇寺風景区になっている。

四明山／四明山★☆☆

sì míng shān

しみんさん／スウミンシャン

　寧波から南西50kmにそびえる四明山。唐代前半まで寧波は越州(紹興)に属したが、738年に東半分がわかれたとき、この山の名前をとって明州となった。高さ1023mの山は「丹山赤水之天」とも呼ばれ、「四明山」という名称はこの地の「四窗岩」が日月星辰の4つの光を通すことに由来する。道教の第九洞天とされるほか、天台仏教の一大拠点でもあり、四明山で律宗を学んだ俊芿(1166～1227年)

★☆☆
蒋氏故里／蒋氏故居 ジィアンシイグウジュウ

N

紹興へ

寧波へ

余姚駅

新建路

王官堂路

王陽明
故居

陽明東路

陽明公園

龍山公園

舜水南路

朱舜水
紀念堂

姚江

中天閣

北浜江路

南雷路

世南東路

0km   1km

余姚

は、帰国後、京都で泉涌寺を再興している。また明清交替期には、異民族の清朝に抵抗する人たちがこの山にこもった経緯もあり、そのなかのひとりで余姚出身の学者の黄宗羲(1610～95年)にまつわる「黄宗羲紀念館」も残る。

余姚／余姚★☆☆
yú yáo
よよう／ユウヤオ

寧波の北西40km、余姚江の流れる余姚は、古くは河姆渡遺跡を育んだ物産豊かな土地。唐代から宋、元、明、清まで書院や義塾などが開かれて浙東学術文化の中心となり、中国を代表する文人を輩出してきた。後漢の厳子陵、明代の陽明学の王陽明(1472～1528年)、日本に亡命した朱舜水(1600～82年)、黄宗羲(1610～95年)が余姚四賢と言われる。王陽明が講学した龍泉山の「中天閣(龍泉寺)」「朱舜水紀念堂」「王陽明故居」が残り、これら明代の文人たちは寧波や紹興で活躍した。余姚は長いあいだ紹興に属していたが、20世紀に入ってから寧波の所管となった。

1927～37年、蔣介石の国民政府は南京を都とした

満州の軍閥張作霖の子として生まれた張学良

杭州湾つなぐ大経済圏

19世紀、上海にとって代わられるまで
この地方最大の港があった寧波
優れた環境から再び、注目を集めるようになった

寧波郊外の新市街

　唐代（821年）以来、寧波市街は余姚江と奉化江の合流する三江口におかれていたが、20世紀末になって寧波郊外に新たな街が築かれている。甬江からくだった北侖に位置する寧波経済技術開発区は、中国屈指の深水港をもち、重化学工業の基地となっている。また寧波旧城の南5kmに位置する鄞州新城は広大な街区で、これまで寧波旧城がになってきた商業圏（天一広場や城隍廟など）に代わる新たな商業圏が形成されようとしている。甬江をはさんで江東のさらに東に位置する東部新城では、豊かな山水を都市にとり込み、充実した文化施設を配備する新たなCBD（中央商務区）がつくられている。こうした流れは、それまでの寧波旧城にあった港湾、経済、文化の機能が大幅に拡張し、寧波郊外の都市化が進んでいると見ることができる。

長江デルタ「龍の目」

　杭州湾をはさんで南に位置する寧波と、北に位置する上海は直線距離では近いが、杭州経由で大幅に迂回しなくてはならなかった。こうしたなか杭州湾の海上を走る全長36kmの杭州湾跨海大橋が2008年に完成し、長江デルタ経済の

一体化に寄与している。杭州湾の南北が結ばれたことで、中国屈指の深水港である寧波北侖港は、浙江省から上海市、江蘇省をも後背地とするようになった（かつて上海に繁栄を奪われた寧波が21世紀に入って、その輝きをとり戻そうとしている）。こうしたインフラの整備は、上海を「龍の頭」に、寧波（杭州湾南岸）と南通（長江北岸）を「龍の目」にたとえる、巨大な大上海経済圏をつくっている。

世界最大級の港湾群体

　宋元（10〜14世紀）時代から、寧波は広東や福建、東南アジアなどの「南洋」と、北京、山東、朝鮮半島の「北洋」を結ぶ、海の交差路という役割をもってきた。寧波と「北京」、寧波と「広州」、寧波と「九州博多」はほとんど同距離で、それら諸都市が弧を描く中心に寧波は位置する。物資が集散するゆえ、明（14〜17世紀）代、寧波沖合の舟山群島は倭寇（海賊）たちの棲家となり、寧波界隈の海上交通を制するものが海の富を制するとも言えた。こうした状況のなか、現在は上海海上沖の洋山深水港、寧波北侖港、その対岸の舟山群島などが一体化し、世界でも類を見ない巨大港湾群を形成している。

舟山群島との船も往来する　　　　　　　東部新城の文化広場、大型建築が集まる

『中国の歴史散歩 3』(山口修・鈴木啓造/山川出版社)

『文化都市寧波』(早坂俊廣編/東京大学出版会)

『くらしがつなぐ寧波と日本』(高津孝編/東京大学出版会)

『聖地寧波 (ニンポー)』(奈良国立博物館編集/奈良国立博物館)

『道元』(和辻哲郎/河出書房新社)

『孤高の禅師 道元』(中尾良信/吉川弘文館)

『天童寺特集』(禅研究所紀要)

『中国古寺巡礼天童寺 曹洞宗開創の庭』(丘桓興/人民中国)

『栄西禅師と臨済宗』(平野宗浄・加藤正俊/吉川弘文館)

『明庵栄西の在宋中の動静について』(佐藤秀孝/駒沢大学仏教学部論集)

『重源と栄西』(久野修義/山川出版社)

『張学良の昭和史最後の証言』(NHK取材班・臼井勝美/角川書店)

『美しい中国余姚 王陽明、朱舜水ら賢人、学者を育む』(田潔于文/人民中国)

『長江文明を訪ねて 河姆渡』(丘桓興/人民中国)

『保国寺大殿 北宋,浙江余姚』(関口欣也/建築雑誌)

『世界大百科事典』(平凡社)

[PDF]寧波地下鉄路線図http://machigotopub.com/pdf/ningbometro.pdf

OpenStreetMap

(C)OpenStreetMap contributors

寧波郊外と開発区／鎌倉仏教の「祖庭」へ

まちごとパブリッシングの旅行ガイド

Machigoto INDIA , Machigoto ASIA , Machigoto CHINA

マカオ-まちごとチャイナ

Juo-Mujin（電子書籍のみ）

自力旅游中国Tabisuru CHINA

寧波郊外と
長江デルタ

N

0km   100km

鄞州新城

0km　　　　　　　　　　　　　　　　　　　3km

N

東部新城

0km　　　　　　　　　　　　3km

N

寧波東郊外

0km   30km

N

阿育王寺

0m   300m

育王天童

0km   5km

N

天童寺

N

0m   100m

鎮海北侖

0km   10km

寧波北郊外

河姆渡遺跡

N

0m 500m

寧波西郊外

蒋氏故里

0km 1km

N

0km   1km

余姚

【車輪はつばさ】
南インドのアイラヴァテシュワラ寺院には
建築本体に車輪がついていて
寺院に乗った神さまが
人びとの想いを運ぶと言います

An amazing stone wheel of the Airavatesvara Temple
in the town of Darasuram, near Kumbakonam in the South India

まちごとチャイナ
浙江省 008

寧波郊外と開発区
鎌倉仏教の「祖庭」へ
［モノクロノートブック版］

「アジア城市（まち）案内」制作委員会
まちごとパブリッシング
http://machigotopub.com

・本書はオンデマンド印刷で作成されています。
・本書の内容に関するご意見、お問い合わせは、発行元の
　まちごとパブリッシング info@machigotopub.com までお願いします。

まちごとチャイナ
新版 浙江省008寧波郊外と開発区
　～鎌倉仏教の「祖庭」へ

2020年 8月15日　発行

著　者　　「アジア城市（まち）案内」制作委員会
発行者　　赤松　耕次
発行所　　まちごとパブリッシング株式会社
　　　　　〒181-0013　東京都三鷹市下連雀4-4-36
　　　　　URL http://www.machigotopub.com/
発売元　　株式会社デジタルパブリッシングサービス
　　　　　〒162-0812　東京都新宿区西五軒町11-13
　　　　　清水ビル3F
印刷・製本　株式会社デジタルパブリッシングサービス
　　　　　URL http://www.d-pub.co.jp/

MP276